baas buik

Hans Kuyper
Tekeningen van Mark Janssen

Zwijsen

dit is mijn buik,
en dit ben ik.
ik ben raar.
mijn buik is dik.
te dik!

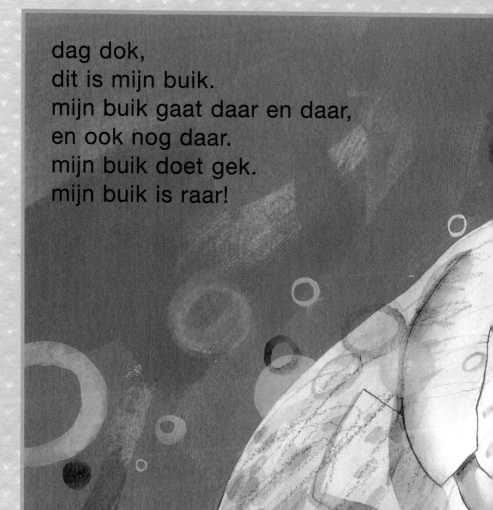

dag dok,
dit is mijn buik.
mijn buik gaat daar en daar,
en ook nog daar.
mijn buik doet gek.
mijn buik is raar!

kijk, dok, kijk.
en por.
en poer.
de buik is dik.
dit is een toer!
toe dok, maak mijn buik!

wat
een ijs!

de buik is bol.
de buik is dik.
dit is er in:
koek en ijs,
en kaas en ijs,
en nog meer ijs ...
en ... snoep!

roep je, buik?
geen ijs meer,
ook geen vis.
geen koek meer ...
en kaas en snoep?
oo nee!
dit is mis!

in mijn buik
is een baas.
bij koek en kaas.
bij ijs en snoep.
dit is baas buik.
baas buik is moe.

baas buik is boos.
en moe en goor.
kaas in de neus.
en vis bij een oor.
de buik is dik!
de buik is raar!

geen ijs, geen koek.
maar soep en peen.
mijn buik is puik.
en baas buik?
baas buik ook!

Raketjes bij kern 3 van Veilig leren lezen

1. ik maak een boek
Willem Eekhof en
Camila Fialkowski
Na acht weken leesonderwijs

3. net aan zee
Annemie Berebrouckx
Na tien weken leesonderwijs

2. baas buik is moe
Hans Kuyper en Mark Janssen
Na negen weken leesonderwijs

ISBN 90.276.7766.2
NUR 287
1e druk 2004

© 2004 Tekst: Hans Kuyper
Illustraties: Mark Janssen
Uitgeverij Zwijsen Algemeen B.V. Tilburg

Voor België:
Zwijsen-Infoboek, Meerhout
D/2004/1919/509